D1061013

글·그림 | 백희나
1971년에 태어나, 이화여자대학교에서 교육공학을 공부했습니다.
공부를 마친 뒤 아이들을 위한 시디롬을 개발하다가,
미국으로 건너가 애니메이션을 공부하고 지금은 어린이 책에 그림을 그리고 있습니다.
〈큰턱할미랑 큰눈할미랑 큰이할미랑〉을 시작으로 아이들한테 친근하게 다가갈 수 있는
개성 있는 그림을 그리려고 애쓰고 있습니다. 두 번째 그림책인 〈구름빵〉은 반입체 기법으로
비 오는 날의 상상 이야기를 생생하게 담아냈습니다.
〈구름빵〉으로 2005년 볼로냐 국제 어린이 도서전에서 픽션 부문 올해의 일러스트레이터로 뽑혔습니다.

빛그림 | 김향수
사보와 어린이 잡지를 만들다가, 지금은 출판사에서 어린이 책을 만들면서
글을 쓰고 빛그림을 빚고 있습니다. '사진'을 순 우리말인 '빛그림'이라고 하기를 좋아합니다.
이번 책 〈구름빵〉에서는 비를 흠뻑 맞으며 마당에서 뛰놀던 어릴 적을 떠올리며,
비 오는 날을 빛그림으로 아름답게 빚어내려고 애썼습니다.
글을 쓴 그림책으로는 〈즐거운 비〉가 있고, 빛그림을 빚은 그림책으로는
〈아주 특별한 요리책〉 〈팥죽할멈과 호랑이〉 〈디노야 놀자〉 〈이불아 놀자〉가 있습니다.

마음씨앗 그림책 02

구름빵

글·그림 백희나 | 빛그림 김향수

초판 1쇄 펴낸날 2004년 10월 20일 | **초판 21쇄 펴낸날** 2007년 2월 5일
펴낸이 변재용 | **부문장** 정기봉 | **본부장** 조은희 | **편집책임** 김향수
기획·편집 이윤진, 이선영 | **디자인** 정상철, 윤미수, SALT&PEPPER Communications
마케팅 김병오, 최진욱 | **홍보** 한승일 | **영업관리** 김효순
제작 임기종, 송호연 | **출력·인쇄** (주)교학사 | **제본** (주)명지문화
펴낸곳 (주)한솔교육 등록 제10-647호 | **주소** 경기도 파주시 교하읍 문발리 526-8
전화 031-955-3880(편집), 031-955-3869(영업) | 팩스 031-955-3870
이메일 isoobook@eduhansol.co.kr | 홈페이지 www.isoobook.com
ISBN 978-89-535-2705-8 74800 | 값 8,500원

마음씨앗 그림책
마음씨앗 그림책은 아이들의 마음씨앗이 싹트고,
쑥쑥 자랄 수 있게 물과 햇빛이 되는 그림책 시리즈입니다.

한솔수북
한솔수북은 아이 마음을 아름답게
가꿔 주는 한솔교육의 새로운 출판 브랜드입니다.

친환경 콩기름 잉크 사용
아이들 건강을 먼저 생각합니다.

구름빵

글·그림 | 백희나   빛그림 | 김향수

어느 날 아침,
　　눈을 떠 보니
창 밖에 비가 내리고 있었어요.

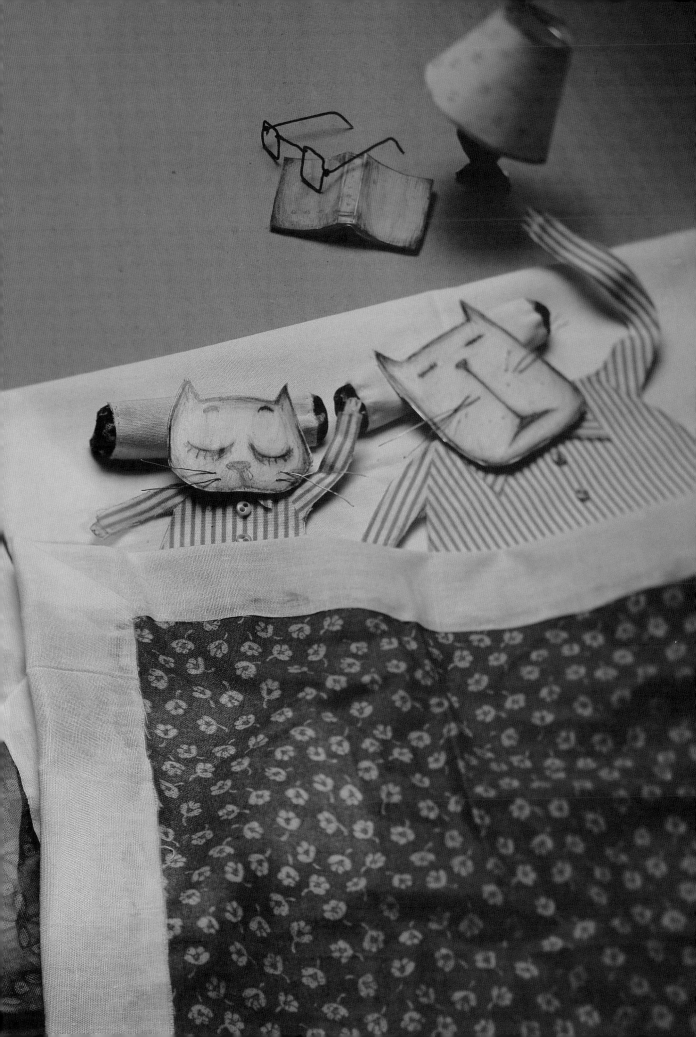

"일어나 봐. 밖에 비 와."

나는 동생을 깨워
　　밖으로 나갔어요.

한참 동안
비 오는 하늘을 올려다봤어요.
오늘은 뭔가 재미있는 일이
생길 것 같았지요.

"어, 이게 뭐지?"
작은 구름이 나뭇가지에 걸려 있었어요.

작은 구름은 너무너무 가벼웠어요.
우리는 구름이 날아가지 않게
조심조심 안고서 엄마한테 갖다 주었어요.

1.엄마는 큰 그릇에 구름을 담아

2.따뜻한 우유와 물을 붓고

3.이스트와 소금, 설탕을 넣어

4.반죽을 하고

5.작고 동그랗게 빚은 다음
  오븐에 넣었지요.

6."이제 45분만 기다리면
  맛있게 익을 거야.
  그럼 아침으로 먹자꾸나."

그때였어요.
"이런! 늦었군, 늦었어!
비 오는 날은 길이 더 막히는데!"
아빠는 빵이 익을 때까지
기다릴 수가 없었어요.
급하게 가방과 우산을 챙겨 들고
허둥지둥 회사로 뛰어갔지요.

"아침을 안 먹으면,
배고플 텐데……."
엄마는 아빠를 걱정했어요.

45분이 지나고,
부엌 가득 고소한 냄새가 피어올랐어요.
엄마는 살며시 오븐을 열었지요.
맛있게 잘 익은 구름빵들이

두 둥 실 떠올랐어요.

"우아, 맛있겠다!
잘 먹겠습니다."

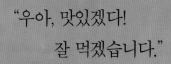

구름빵을 먹은 우리들도
두둥실 떠올랐어요.

"아빠는 무척 배고프실 거야."
동생이 말했어요.
"우리, 아빠한테 빵을 갖다 드리자."
나는 빵 하나를 봉지에 담았어요.
그리고 나서 창문을 열고,
동생과 함께 힘껏 날아올랐지요.

"아빠는 어디 계실까?
벌써 회사에 가신 걸까?"

"아냐, 그럴 리 없어.
차가 이렇게 서 있는걸."

"앗, 아빠다!"
동생이 소리쳤어요.

우리는 자동차가 빽빽하게 늘어선
찻길에서 아빠를 찾았어요.
아빠는 콩나물시루 같은 버스를 타고 있었지요.

"아빠!"

"니야옹!"

구름빵을 먹은 아빠도······,

둥실 떠올라

훨훨 날아서

금세 회사에 다다랐어요.

"후유, 다행이다."

우리는 다시 높은 건물 사이를 날아서

전깃줄을 아슬아슬 비켜서

우리 집 지붕 위에 살짝 내려앉았어요.
비가 그치자 하늘에 흰 구름이 하나 둘 떠올랐어요.
"있잖아, 나 배고파."
동생이 말했어요.
"하늘을 날아다녀서 그럴 거야.
우리, 구름빵 하나씩 더 먹을까?"
동생과 나는 구름빵을 또 먹었어요.
구름을 바라보며 먹는 구름빵은 정말 맛있었습니다.